KB171746

30cm

손 안에 책을 들었을 때 책과 나의 거리 고작 30cm
여러분은 이 거리를 얼마나 지키고 있나요?
책장과의 거리가 한 달이 되고, 일 년이 되어
혹시 '저거 언제 읽지?' 하는 한숨의 거리가 되어 있진 않나요?
30cm의 컨텐츠팀은 여러분이 스스럼 없이 책을 손에 들 수 있도록,
책이 눈앞에서 멀어지지 않도록,
흥미로운 컨텐츠 개발을 위해 오늘도 노력하고 있습니다.

유용한 영어회화 555 문장

■

2018년 10월 25일 발행 • **지은이** 30cm 영어연구소

펴낸이 박성미 • **펴낸곳** 30cm. 서울시 서대문구 가재울미래로2

이메일 30cmxenglish@naver.com • **출판사등록** 제2018-000062호(2018.08.13)

■

ⓒ 30cm 영어연구소, 2018

본 책은 저작자의 지적 재산으로서 무단 전재와 복제를 금합니다.

ISBN 979-11-964653-6-0 (14740) • 979-11-964653-5-3 (set)

유용한

영어회화

555 문장

정말 쉬운 표현들이다

매일 밥 먹듯 쓰는 표현들이 있습니다. 우리말로 하면 별것 아닌데
영어로는 뭐 대단한 표현이라고 어떻게 말하는지 우물쭈물 대는 걸까요?
이런 표현도 알아만 두면 사실 별것 아닙니다. Any time. 언제라도요.
After you. 먼저 가세요. It hurts! 아파요!
너무 쉬워서 당장 외워서 쓸 수 있을 것 같지 않나요?

이왕이면 원어민 스탈의 표현

나중에 보자는 말을 할 때 See you later.말고 Catch you later.라고
도 말할 수 있다는 것. 같은 표현도 내가 하면 좀 더 원어민스럽게 표현한
다는 자신감을 드립니다. 555개의 문장에는 그런 표현들을 선별해 담았
습니다.

매일 마주치는 웬만한 상황 다 있다

아무리 표현을 많이 담은 책이라도 일상에서 쓸 만한 상황을 만나야겠죠? 여자친구와의 약속을 밥 먹듯이 잊어버리는 남친들은 As I said before, I'll keep my promise. 전에 말한 대로 약속을 지킬게. 아재개그를 듣고 웃기를 강요하는 상사를 씹으면서 As a matter of fact, I never liked his jokes. 사실, 저는 그의 농담을 전혀 좋아하지 않았어요. 이렇게 소소한 대화에서 써먹을 수 있는 표현들이 무려 555개나 있습니다.

딱 한 마디로 내 영어를 돋보이게

Definitely. 당근이죠. 이런 표현은 발음만 잘하면 원어민스럽기 그지없습니다. 적재적소에 쓰는 한마디 표현들은 딱 한 마디 내뱉었을 뿐인데도 영어를 좀 하는구나 하는 인상을 줍니다. 그러니 절대 놓치면 안 되겠죠? 그뿐 아니라 적절한 상황에 써주면 실제 내 영어 실력보다 3배는 레벨업 되어 보이는 표현들이 가득합니다. Can't be better than this. 이 보다 더 좋을 순 없겠죠?

CONTENTS ●
●

○ **A piece of cake.**

식은 죽 먹기지요.

○ **According to the forecast, it will be sunny.**

일기 예보에 따르면, 날씨가 맑을 거예요.

● according to
~에 따르면

○ **After you.**

먼저 가세요.

○ **And then?**

그리고 나서는요?

○ **Any time.**

언제라도요.

○ **Anything else?**

그 밖에 또 뭐요?

○ **Are you acquainted with her?**

그녀와 아는 사이인가요?

Are you kidding?
놀리는 것 아니죠?

As a matter of fact, I never liked his jokes.
사실, 저는 그의 농담을 전혀 좋아하지 않았어요.

as a matter of fact 사실

As I said before, I'll keep my promise.
전에 말한 대로 약속을 지킬게요.

as I said before, 제가 전에도 말했듯이,

Attention, please!
주목해 주세요.

Back me up.
뒤 좀 봐주세요.(지원해주세요)

Be my guest.
사양하지 마세요.

Be punctual!
시간 좀 맞춰요!

Be seated.
앉으시죠.

매일 쓰는 유용한 문장

○ _____ cake.
식은 죽 먹기지요.

○ _____ the forecast, it will be sunny.
일기 예보에 따르면, 날씨가 맑을 거예요.

○ _____ you.
먼저 가세요.

○ _____.
그리고 나서는요?

○ _____.
언제라도요.

○ _____?
그 밖에 또 뭐요?

○ Are you _____?
그녀와 아는 사이인가요?

○ _____?

놀리는 것 아니죠?

○ _____, I never liked his jokes.

사실, 저는 그의 농담을 전혀 좋아하지 않았어요.

○ _____, I'll keep my promise.

전에 말한 대로 약속을 지킬게요.

○ _____!

주목해 주세요.

○ _____.

뒤 좀 봐주세요.(지원해주세요)

○ _____.

사양하지 마세요.

○ _____.

시간 좀 맞춰요!

○ _____.

앉으시죠.

○ **He doesn't know how to behave.**

그는 예의 범절을 모른다.

> • how to behave
> 행동하는 법

○ **Better late than never.**

안 하는 것보다는 낫지요.

○ **It hurts!**

아파요!

○ **By the way, I met Steve yesterday.**

그건 그렇고, 어제 스티브를 만났어요.

> • by the way
> 그건 그렇고

○ **Can't be better than this.**

이 보다 더 좋을 순 없지요.

○ **Can I get this gift-wrapped, please?**

선물용으로 포장해 주시겠어요?

> • get ~ p.p.
> ～를 p.p.(상태가)
> 되로록 하다

○ **Can I pay you in small bills?**

잔돈으로 지불해도 되나요?

- **Can I try this skirt on?**

  이 치마를 입어봐도 될까요?

- **Can you recommend one for me?**

  저에게 하나를 추천해주실 수 있나요?

- **Can you lend me a one-dollar bill?**

  1달러만 빌려주시겠어요?

- **She takes after her mother.**

  그녀는 엄마를 닮았어요.

  ↘ take after ~를 닮다

- **Catch you later.**

  나중에 봐요.

- **Charge it please.**

  카드로 결재해 주세요.

- **Cheer up!**

  기운내요. (파이팅!)

- **Come and get it.**

  와서 가져가요.

매일 쓰는 유용한 문장

- He doesn't know _____.
  그는 예의 범절을 모른다.

- _____ never.
  안 하는 것보다는 낫지요.

- _____!
  아파요!

- _____, I met Steve yesterday.
  그건 그렇고, 어제 스티브를 만났어요.

- _____ than this.
  이 보다 더 좋을 순 없지요.

- Can I _____, please?
  선물용으로 포장해 주시겠어요?

- Can I _____?
  잔돈으로 지불해도 되나요?

- Can I _____?
  이 치마를 입어봐도 될까요?

- Can you _____?
  저에게 하나를 추천해주실 수 있나요?

- Can you _____?
  1달러만 빌려주시겠어요?

- She _____ her mother.
  그녀는 엄마를 닮았어요.

- _____.
  나중에 봐요.

- _____.
  카드로 결재해 주세요.

- _____!
  기운내요. (파이팅!)

- _____.
  와서 가져가요.

○ **Come on, out with it.**
어서 말해줘 보세요.

○ **Congratulations!**
축하해요.

○ **I'll eat my hat, if I'm wrong.**
내 말이 틀리면 성을 갈겠다.

○ **Couldn't be better than this.**
이보다 더 좋을 순 없어요.

○ **Definitely.**
당근이죠.

● definitely
분명히, 확실히

○ **Where did you do your hair?**
어디에서 머리를 했니?

○ **Didn't I make myself clear?**
제 입장을 확실히 말하지 않았나요?

- **Do I have to spell it out for you?**

  제가 자세히 하나하나 설명해줘야 하나요?

- **Do I look all right?**

  저 괜찮아 보여요?

- **Whatever happens, I believe in you.**

  무슨 일이 있어도 당신을 믿어요.

whatever happens 무슨 일이 있어도

- **Do you work out regularly?**

  당신은 규칙적으로 운동을 하시나요?

regularly 정기적으로

- **Doing okay?**

  잘 하고 있어요?

- **Don't be afraid.**

  두려워 마세요.

- **Don't be modest.**

  겸손해 하지 말아요.

- **Don't be silly.**

  바보같이 그러지 말아요.

매일 쓰는 유용한 문장

17

○ Come on, _____.
어서 말해줘 보세요.

○ _____ !
축하해요.

○ _____ , if I'm wrong.
내 말이 틀리면 성을 갈겠다.

○ Couldn't be _____ this.
이보다 더 좋을 순 없어요.

○ _____.
당근이죠.

○ Where did you _____ ?
어디에서 머리를 했니?

○ Didn't I _____ ?
제 입장을 확실히 말하지 않았나요?

- Do I have to _____ for you?
  제가 자세히 하나하나 설명해줘야 하나요?

- Do I _____?
  저 괜찮아 보여요?

- _____, I believe in you.
  무슨 일이 있어도 당신을 믿어요.

- Do you _____?
  당신은 규칙적으로 운동을 하시나요?

- _____?
  잘 하고 있어요?

- _____.
  두려워 마세요.

- _____.
  겸손해 하지 말아요.

- _____.
  바보같이 그러지 말아요.

○ **Don't change the subject.**
화제를 다른 데로 돌리지 마세요.

○ **Don't get into trouble.**
끼어들지 마세요.

○ **Don't let me down.**
실망시키지 말아요.

○ **Don't mess with me.**
함부로 하지 마세요.

○ **Don't cry at such a trifle.**
그따위 일로 울지 마라.

○ **Don't worry about it.**
걱정마세요.

○ **Don't ask.**
묻지 마세요.

- **Don't blow a fuse.**

  화내지 말아요.

- **Don't cry over spilt milk.**

  이미 끝난 일에 속상해 하지 말아요.

spilt milk
엎질러진 우유, 이미
저질러진 일

- **I don't wanna get in the way.**

  난 방해가 되고 싶지 않아.

- **Don't get me wrong.**

  오해하진 마세요.

- **Don't get too serious.**

  너무 심각하게 그러지 말아요.

- **Don't just sit around.**

  그렇게 빈둥거리지 마요.

- **Don't push me.**

  부담 주지 말아요.

- **Don't sneak off without telling me!**

  나한테 말도 없이 몰래 빠져나가지 말아요!

sneak off
몰래 빠져나가다

매일 쓰는 유용한 문장 —

o Don't _____.
화제를 다른 데로 돌리지 마세요.

o Don't _____.
끼어들지 마세요.

o Don't _____.
실망시키지 말아요.

o Don't _____.
함부로 하지 마세요.

o Don't _____.
그따위 일로 울지 마라.

o Don't _____.
걱정마세요.

o _____.
묻지 마세요.

○ Don't _____.
화내지 말아요.

○ Don't _____.
이미 끝난 일에 속상해 하지 말아요.

○ I don't wanna _____.
난 방해가 되고 싶지 않아.

○ Don't _____.
오해하진 마세요.

○ Don't _____.
너무 심각하게 그러지 말아요.

○ Don't _____.
그렇게 빈둥거리지 마요.

○ Don't _____.
부담 주지 말아요.

○ Don't _____!
나한테 말도 없이 몰래 빠져나가지 말아요!

- **Don't take it personally.**
  감정적으로 받아들이지는 마세요.

- **Don't try my patience.**
  제 인내심을 시험하지 말아요.

- **Drive safely.**
  안전 운전 하세요.

- **Either will do.**
  아무것이나요.

- **Enough is enough.**
  그만 하세요.

- **Excellent!**
  짱인데요.

- **For good?**
  영원히요?

- **Far from it.**
  아직 멀었어요.

○ **Fat chance!**

그럴 일은 없어요!

> fat chance는 반어법으로 '가망 없음. 매우 희박한 가망성'을 나타낸다.

○ **Fill me in on the latest gossip.**

가장 최신 소문에 대해 정보 좀 주세요.

> fill somebody in (~에 대해) ~에게 지금까지 있은 일을 들려주다

○ **Follow me.**

따라 오세요.

○ **For some reason, he doesn't like me.**

어떤 이유에서인지, 그는 저를 좋아하지 않아요.

○ **For what it's worth, I hope you find it.**

얼마나 도움이 될 진 모르겠지만, 난 네가 그것을 찾기를 바래.

○ **Everything was fine, but her make-up was a fly in the ointment.**

모든 게 좋았는데 그녀의 화장이 옥에 티였어.

> a fly in the ointment 옥의 티

○ **Forget it.**

신경쓰지 마세요., 됐어요.

매일 쓰는 유용한 문장

25

- Don't _____.
  감정적으로 받아들이지는 마세요.

- Don't _____.
  제 인내심을 시험하지 말아요.

- _____.
  안전 운전 하세요.

- _____.
  아무것이나요.

- _____.
  그만 하세요.

- _____!
  짱인데요.

- _____?
  영원히요?

○ _____.

아직 멀었어요.

○ _____!

그럴 일은 없어요!

○ _____ on the latest gossip.

가장 최신 소문에 대해 정보 좀 주세요.

○ _____.

따라 오세요.

○ _____, he doesn't like me.

어떤 이유에서인지, 그는 저를 좋아하지 않아요.

○ _____, I hope you find it.

얼마나 도움이 될 진 모르겠지만, 난 네가 그것을 찾기를 바래.

○ Everything was fine, but her make-up was

_____.

모든 게 좋았는데 그녀의 화장이 옥에 티였어.

○ _____.

신경쓰지 마세요., 됐어요.

- **Germany is renowned for beer.**

  독일은 맥주로 유명해요.

- **Get lost!**

  꺼지세요.

- **Get real.**

  냉정해지세요.

- **Give it a rest.**

  내버려두세요.

- **Give me a call.**

  전화 주세요.

- **My mom must be hitting the ceiling by now.**

  엄마는 지금까지 화가 나서 길길이 뛰고 계실 거예요.

- **Give your bag a shakedown.**

  가방을 샅샅이 뒤져봐요.

  ↘ shakedown
  철저한 수색

○ **He made a lot of money in a short time.**

그는 짧은 기간 동안 많은 돈을 벌었어요.

○ **He has a lot of pull at city hall.**

그는 시청에 인맥이 많아요.

○ **Tom has lung cancer as the result of smoking.**

톰은 흡연의 결과로 폐암에 걸렸어요.

○ **I am engaged in letter writing.**

난 편지를 쓰느라 바빠.

• be engaged in
  -ing ~하느라 바쁘다

○ **Good luck to you.**

행운을 빌어요.

○ **Grow up!**

철 좀 드세요.

○ **Guess what?**

뭔지 맞춰봐요.

○ **Hang loose.**

좀 편히 쉬세요.

매일 쓰는 유용한 문장

● Germany is _____.
독일은 맥주로 유명해요.

● _____!
꺼지세요.

● _____.
냉정해지세요.

● _____.
내버려두세요.

● _____.
전화 주세요.

● My mom _____ by now.
엄마는 지금까지 화가 나서 길길이 뛰고 계실 거예요.

● Give _____.
가방을 샅샅이 뒤져봐요.

- He _____ in a short time.
  그는 짧은 기간 동안 많은 돈을 벌었어요.

- He has _____.
  그는 시청에 인맥이 많아요.

- Tom has lung cancer _____.
  톰은 흡연의 결과로 폐암에 걸렸어요.

- I _____ letter writing.
  난 편지를 쓰느라 바빠.

- _____.
  행운을 빌어요.

- _____!
  철 좀 드세요.

- _____?
  뭔지 맞춰봐요.

- _____.
  좀 편히 쉬세요.

○ **Have a nice day.**

좋은 하루 되세요.

○ **I wonder if she has an ax to grind.**

그녀에게 뭔가 다른 속셈이 있는 거 아닌지 궁금해.

● have an ax to grind
꿍꿍이 속이 있다

○ **Have you been living under a rock for the past 20 years?**

지난 20년 동안 세상 물정 모르고 살았나요?

○ **Have you lost your mind?**

정신 나갔어요?

○ **He's coming down with a cold.**

그는 감기에 걸렸어요.

○ **Go get it.**

가서 가져와요.(한번 해봐요!)

○ **Going down?**

내려가세요?

- **Good enough.**

  좋습니다.

- **He's good at paying lip service.**

  그는 입에 발린 말을 잘 해요.

- **He always does things by halves.**

  그는 항상 일을 어중간히 해요.

- **She has a good head for numbers.**

  그녀는 숫자 계산 능력이 뛰어나요.

have a head for
~에 재능이 있다

- **He doesn't know what's what.**

  그는 뭐가 뭔지 몰라요.

- **These figures compare favorably with last year's.**

  이들 수치는 작년 것에 비해 좋은 것이다.

compare
favorably with ~
에 비해 유리하다/낫다

- **He is in good shape.**

  그는 컨디션이 좋아요.

- **He is late all the time.**

  그는 항상 지각을 합니다.

매일 쓰는 유용한 문장 ─

33

- _____.

  좋은 하루 되세요.

- I wonder if she has _____.

  그녀에게 뭔가 다른 속셈이 있는 거 아닌지 궁금해.

- Have you been _____ for the past
  20 years?

  지난 20년 동안 세상 물정 모르고 살았나요?

- _____?

  정신 나갔어요?

- He's _____.

  그는 감기에 걸렸어요.

- _____.

  가서 가져와요. (한번 해봐요!)

- _____?

  내려가세요?

- _____.
  좋습니다.

- He's good at _____.
  그는 입에 발린 말을 잘 해요.

- He always _____.
  그는 항상 일을 어중간히 해요.

- She _____.
  그녀는 숫자 계산 능력이 뛰어나요.

- He doesn't _____.
  그는 뭐가 뭔지 몰라요.

- These figures _____.
  이들 수치는 작년 것에 비해 좋은 것이다.

- _____.
  그는 컨디션이 좋아요.

- _____.
  그는 항상 지각을 합니다.

○ **He is second to none in his field.**

그는 그의 분야에서 둘째가라면 서러워할 사람이다.

○ **He is very fond of dogs.**

그는 개들을 매우 좋아해요.

○ **It's hard to know people inside out.**

사람을 속속들이 안다는 것은 어려운 일이에요.

> **know ~ inside out**
> ~을 (자기 손바닥 들여
> 다보듯이) 환하게 알다

○ **Go ahead, spit it out.**

계속해요, 뜸들이지 말고.

○ **Go fifty-fifty.**

반반씩 내지요.

○ **Now I have to start all over from scratch.**

처음부터 다 다시 시작해야 되잖아.

> **from scratch**
> 아무런 사전 준비[지식]
> 없이

○ **I threw away all the old books.**

낡은 책을 모두 버렸어요.

○ **He was already gone when I got here.**

제가 여기 도착했을 때 그는 이미 가고 없었어요.

○ **He was staring daggers at me!**

그가 저를 째려보고 있었어요!

○ **I went out of business two years ago.**

저는 2년 전에 폐업했어요.

go out of
business 폐업하다

○ **Help yourself.**

마음껏 드세요.

○ **Her speech offers much food for thought.**

그녀의 연설은 생각할 거리를 많이 제공한다.

○ **Here is something for you.**

당신을 위해 준비했어요.

○ **Here you are.**

여기있어요.

○ **Here**

여기요.

○ He is _____ in his field.
그는 그의 분야에서 **둘째가라면 서러워할** 사람이다.

○ He _____.
그는 개들을 매우 좋아해요.

○ It's hard to _____.
사람을 속속들이 안다는 것은 어려운 일이에요.

○ _____.
계속해요, 뜸들이지 말고.

○ _____.
반반씩 내지요.

○ Now I have to start all over _____.
처음부터 다 다시 시작해야 되잖아.

○ I _____ all the old books.
낡은 책을 모두 버렸어요.

- He _____ when I got here.
  제가 여기 도착했을 때 그는 이미 가고 없었어요.

- He _____!
  그가 저를 째려보고 있었어요!

- _____ two years ago.
  저는 2년 전에 폐업했어요.

- _____.
  마음껏 드세요.

- Her speech _____.
  그녀의 연설은 생각할 거리를 많이 제공한다.

- _____.
  당신을 위해 준비했어요.

- _____.
  여기있어요.

- _____.
  여기요.

121
>>
135

- **Be with you in a minute.**
  몇 분이면 돼요.

- **How's work?**
  일은 좀 어때요?

- **How about I spring for a nice dinner at the local bistro?**
  근처 식당에서 제가 맛있는 저녁을 사는 건 어때요?

- **How about you?**
  당신은 어떠세요?

- **How big is it?**
  얼마나 큰데요?

- **How many?**
  몇 개나요?

- **How much?**
  얼마나요?

○ **How can I get rid of this old sofa?**

이 낡은 소파를 어떻게 버려야 할까요?

How do I know if
~인지 어떻게 아나?

○ **How do I know if I'm eligible?**

내가 자격요건이 되는지 어떻게 알죠?

○ **How have you been?**

어떻게 지내셨어요?

○ **I almost always fall asleep with the television on.**

거의 TV를 켜 놓은 채로 잠이 들어요.

How many time
얼마나 여러 번

○ **How many time do I have to say?**

몇 번이나 말해야 알겠어요?

○ **I'll keep my fingers crossed.**

행운을 빌게요.

○ **I'm coming.**

갑니다.

○ **I agree.**

맞아요.

○ _____ in a minute.
몇 분이면 돼요.

○ _____?
일은 좀 어때요?

○ How about I _____ at the local bistro?
근처 식당에서 제가 맛있는 저녁을 사는 건 어때요?

○ _____?
당신은 어떠세요?

○ _____?
얼마나 큰데요?

○ _____?
몇 개나요?

○ _____?
얼마나요?

○ How can I _____?
이 낡은 소파를 어떻게 버려야 할까요?

○ _____ I'm eligible?
내가 자격요건이 되는지 어떻게 알죠?

○ _____?
어떻게 지내셨어요?

○ I almost always _____.
거의 TV를 켜 놓은 채로 잠이 들어요.

○ _____ do I have to say?
몇 번이나 말해야 알겠어요?

○ _____.
행운을 빌게요.

○ _____.
갑니다.

○ _____.
맞아요.

매일 쓰는 유용한 문장 암기 연습

○ **I am a little disappointed.**

　좀 실망했어요.

○ **I am about to start.**

　이제 막 시작하려던 참이에요.

○ **I am aware of that.**

　그것에 대해서는 잘 알고 있어요.

○ **I am broke.**

　빈털터리에요.

○ **I am crazy about her.**

　그녀에게 푹 빠졌어요.

○ **I am fed up with this.**

　진저리가 나요.

○ **I am full.**

　배불러요.

- **I am getting sick of his lies.**

  저는 그의 거짓말에 질렸어요.

- **I'm really going to miss working with all of you.**

  여러분 모두하고 함께 일하던 때가 정말 그리워질 거예요.

- **I am nearsighted, so things in the distance look blurred.**

  나는 근시라서 먼 데 있는 것들은 흐릿하게 보인다.

nearsighted
근시안적인

- **I am impressed.**

  감동 받았어요.

- **I am in need.**

  궁색해요.

- **I am pleased with the result.**

  저는 결과에 만족해요.

- **I am scared to death.**

  무서워 죽겠어요.

- **I am short-changed.**

  잔돈이 모자라요.

매일 쓰는 유용한 문장

- I am _____.
  좀 실망했어요.

- I am _____.
  이제 막 시작하려던 참이에요.

- I am _____.
  그것에 대해서는 잘 알고 있어요.

- _____.
  빈털터리에요.

- _____.
  그녀에게 푹 빠졌어요.

- _____.
  진저리가 나요.

- _____.
  배불러요.

○ I am _____.
저는 그의 거짓말에 질렸어요.

○ I'm really going to _____.
여러분 모두하고 함께 일하던 때가 정말 그리워질 거예요.

○ _____, so things in the
distance look blurred.
나는 근시라서 먼 데 있는 것들은 흐릿하게 보인다.

○ _____.
감동 받았어요.

○ _____.
궁색해요.

○ I am _____.
저는 결과에 만족해요.

○ _____.
무서워 죽겠어요.

○ _____.
잔돈이 모자라요.

- **I am starving to death.**

  배고파 죽겠어요.

- **I am stuffed.**

  정말 배불러요.

- **I am trying to concentrate on studying math.**

  저는 수학 공부에 집중하려고 하고 있어요.

- **I am upset by a few people's comments.**

  나는 몇몇 사람들의 비판에 화가 납니다.

- **I apologize for the lateness.**

  지각해서 죄송합니다.

- **I bet.**

  장담하죠.(물론이죠.)

- **I bought shirts at a sale.**

  저는 할인 행사에서 셔츠를 샀어요.

- **I break out in a cold sweat.**
  식은땀이 난다.

- **I can't thank you enough.**
  뭐라 감사를 드려야 할지 모르겠네요.

- **I'll fix you up with a place to stay.**
  내가 너 머물 곳을 마련해줄게.

fix up with
~을 마련해주다

- **I can finally hold my head up again.**
  저는 마침내 다시 당당할 수 있어요.

- **I'm going to spend some real quality time with my family.**
  저는 가족과 의미 있는 시간을 보내려고 해요.

quality time
귀중한 시간(특히 퇴근
후에 자녀와 함께 보내
는 시간)

- **I can't say for sure.**
  확실히 말 못하겠어요.

- **I can't stand it.**
  견딜 수가 없어요.

- **I'm in favor of Jack's opinion.**
  저는 잭의 의견에 동의해요.

매일 쓰는 유용한 문장

49

- I am _____.
  배고파 죽겠어요.

- _____.
  정말 배불러요.

- I am trying to _____.
  저는 수학 공부에 집중하려고 하고 있어요.

- I am _____.
  나는 몇몇 사람들의 비판에 화가 납니다.

- _____.
  지각해서 죄송합니다.

- _____.
  장담하죠.(물론이죠.)

- I bought shirts _____.
  저는 할인 행사에서 셔츠를 샀어요.

○ _____.

식은땀이 난다.

○ _____.

뭐라 감사를 드려야 할지 모르겠네요.

○ _____ a place to stay.

내가 너 머물 곳을 마련해줄게.

○ I can finally _____.

저는 마침내 다시 당당할 수 있어요.

○ I'm going to _____.

저는 가족과 의미 있는 시간을 보내려고 해요.

○ _____.

확실히 말 못하겠어요.

○ _____.

견딜 수가 없어요.

○ _____.

저는 잭의 의견에 동의해요.

- **I can handle it.**
  제가 할 수 있어요.

- **I can never tell which is which.**
  어느 것이 어느 것인지 전혀 알 수 없어요.

- **Actually it cost me an arm and a leg.**
  실제로 엄청난 거금이 들었지

- **I can tell.**
  그래 보여요.

- **I could eat fruit and veggies during the week.**
  주중에는 과일과 야채를 먹으면 되겠네요.

- **I could not avoid saying so.**
  그렇게 말하지 않을 수 없었다.

- **I can't believe it's already the end of the year.**
  벌써 연말이라니 믿기지가 않아요.

- **I can't just pick up and go at the drop of a hat.**
  곧바로 짐을 싸서 떠날 수는 없어요.

- **I can't keep up with you.**

  당신을 따라가질 못하겠어요.

- **I can't make heads or tails of this instruction.**

  이 설명을 이해할 수가 없어요.

- **I can't put up with noise from the fridge.**

  냉장고에서 나는 소음을 참을 수가 없어.

put up with
~을 참다, 받아들이다

- **I can't quite put my finger on it, but something happened.**

  확실하게 지적할 수는 없지만, 뭔가 일어났어요.

- **I don't want to throw a monkey wrench in the works, but have you checked your plans with a lawyer?**

  나는 풍파를 일으키고 싶지 않은데, 당신의 계획을 변호사에게 상담하셨습니까?

throw a monkey
wrench in/into ~
(남의 계획을) 망쳐 놓다

- **I cannot handle it anymore.**

  더 이상 감당할 수 없네요.

- **I commute on foot.**

  저는 걸어서 출퇴근해요.

매일 쓰는 유용한 문장

○ _____.
제가 할 수 있어요.

○ I can never _____.
어느 것이 어느 것인지 전혀 알 수 없어요.

○ Actually it _____.
실제로 엄청난 거금이 들었지

○ _____.
그래 보여요.

○ _____ during the week.
주중에는 과일과 야채를 먹으면 되겠네요.

○ _____ saying so.
그렇게 말하지 않을 수 없었다.

○ _____ it's already the end of
the year.
벌써 연말이라니 믿기지가 않아요.

○ _____ and go at the drop of a hat.

곧바로 짐을 싸서 떠날 수는 없어요.

○ I can't _____.

당신을 따라가질 못하겠어요.

○ I can't _____ of this instruction.

이 설명을 이해할 수가 없어요.

○ I can't _____.

냉장고에서 나는 소음을 참을 수가 없어.

○ I can't quite _____, but something
happened.

확실하게 지적할 수는 없지만, 뭔가 일어났어요.

○ I don't want to _____,
but have you checked your plans with a lawyer?

나는 풍파를 일으키고 싶지 않은데, 당신의 계획을 변호사에게 상담하
셨습니까?

○ _____.

더 이상 감당할 수 없네요.

○ _____.

저는 걸어서 출퇴근해요.

- **I couldn't get enough sleep, so I feel run down.**

  잠을 충분히 못 자서 피곤해요.

- **He brokered a deal for us.**

  그의 중개로 거래가 성사되었다.

- **I decided to go on a crash diet.**

  저는 속성으로 다이어트를 하기로 결심했죠.

- **I decided to quit smoking for good.**

  저는 담배를 영원히 끊기로 결심했어요.

- **I decided to rent the equipment instead of buying it.**

  장비를 사는 대신 빌리기로 했어요.

- **I didn't mean to.**

  일부러 그런 것은 아니에요.

- **I didn't do it on purpose.**

  고의가 아니었어요.

- **I didn't hear the alarm go off.**

  알람이 울리는 걸 못 들었어요.

○ **I don't want to be the one to cast the first stone, but she sang horribly.**

성급하게[앞장서서] 판단하기는 싫지만, 그녀의 노래는 너무 했어.

○ **I dine out twice a week on the average.**

저는 보통 일주일에 두 번 외식을 해요.

on the average
대체로, 평균하여

○ **I don't have much free time these days.**

요즘에는 여가 시간이 별로 없어요.

○ **I don't know what she really wants as she blows hot and cold.**

나는 그녀가 변덕스러워서 정말로 무엇을 원하는지 모르겠어.

blow hot and cold (about something)
이랬다저랬다 하다

○ **I don't believe you, so stop pulling my leg.**

나는 너를 안 믿으니까 나를 그만 놀리시지.

○ **I don't care.**

관심 없어요.

○ **I don't get it.**

이해를 못했어요.

매일 쓰는 유용한 문장

- I couldn't get enough sleep, so I _____.
  잠을 충분히 못 자서 피곤해요.

- He _____ for us.
  그의 중개로 거래가 성사되었다.

- I decided to _____.
  저는 속성으로 다이어트를 하기로 결심했죠.

- I decided to _____.
  저는 담배를 영원히 끊기로 결심했어요.

- I decided to _____ buying
  it.
  장비를 사는 대신 빌리기로 했어요.

- _____.
  일부러 그런 것은 아니에요.

- _____.
  고의가 아니었어요.

- I didn't hear _____.
  알람이 울리는 걸 못 들었어요.

- I don't want to _____, but
  she sang horribly.
  성급하게[앞장서서] 판단하기는 싫지만, 그녀의 노래는 너무 했어.

- I dine out twice a week _____.
  저는 보통 일주일에 두 번 외식을 해요.

- I don't have _____.
  요즘에는 여가 시간이 별로 없어요.

- I don't know what she really wants

  _____.

  나는 그녀가 변덕스러워서 정말로 무엇을 원하는지 모르겠어.

- I don't believe you, so _____.
  나는 너를 안 믿으니까 나를 그만 놀리시지.

- _____.
  관심 없어요.

- _____.
  이해를 못했어요.

- **I don't like him as he is a pain in the neck.**

  나는 그가 눈엣가시이므로 그를 좋아하지 않는다.

- **I don't feel like exercising today.**

  오늘은 운동하고 싶지 않아요.

- **I don't know what got into their heads.**

  도대체 무슨 생각으로 이러시는지 모르겠어요.

- **I don't know why she is giving me the cold shoulder.**

  왜 그녀가 저를 차갑게 대하는지 모르겠어요.

- **I don't like to get drunk.**

  저는 술에 취하는 걸 싫어해요.

- **I don't mean to pry.**

  캐물으려는 건 아니에요.

- **I don't recall buying it.**

  저는 그것을 산 기억이 없어요.

feel ~ in one's bones
~을 직감하다

○ **I can kind of feel it in my bones.**
직감적으로 느껴져요.

○ **I don't think I understood you.**
제가 이해를 못 한 것 같아요.

○ **I can't let him get away with this.**
그 녀석은 이대로 넘어가면 안 돼.

○ **I don't want my apartment to have such a staid look.**
제 아파트가 밋밋한 게 싫어요.

staid
재미없는, 고루한

○ **I don't want to be a laughing stock before your friends.**
당신 친구들 앞에서 웃음거리가 되고 싶지 않아요.

○ **I don't want to burst your bubble.**
당신의 환상을 깨고 싶진 않아요.

○ **I doubt it.**
아닌 것 같은데요.

○ **I feel like a class-A heel.**
나쁜 사람이 된 기분이에요.

매일 쓰는 유용한 문장

61

○ I don't like him _____.
나는 그가 눈엣가시이므로 그를 좋아하지 않는다.

○ _____ like exercising today.
오늘은 운동하고 싶지 않아요.

○ I don't know _____.
도대체 무슨 생각으로 이러시는지 모르겠어요.

○ I don't know _____.
왜 그녀가 저를 차갑게 대하는지 모르겠어요.

○ I don't like _____.
저는 술에 취하는 걸 싫어해요.

○ _____.
캐물으려는 건 아니에요.

○ _____.
저는 그것을 산 기억이 없어요.

- I can kind of _____.
  직감적으로 느껴져요.

- _____ I understood you.
  제가 이해를 못 한 것 같아요.

- I can't _____.
  그 녀석은 이대로 넘어가면 안 돼.

- I don't want my apartment to _____.
  제 아파트가 밋밋한 게 싫어요.

- I don't want to _____ before your friends.
  당신 친구들 앞에서 웃음거리가 되고 싶지 않아요.

- I don't want to _____.
  당신의 환상을 깨고 싶진 않아요.

- _____.
  아닌 것 같은데요.

- _____.
  나쁜 사람이 된 기분이에요.

- **I feel relieved after getting it off my chest.**

  고민을 털어놓고 나니 마음이 편해졌어요.

- **I feel the same way.**

  동감이에요.

- **I felt like I was walking on pins and needles.**

  바늘 방석에 앉아 있는 기분이었어요.

- **He decided to put an end to this.**

  그는 이 일에 끝장을 보기로 작정했다.

  • put an end to
  …을 끝내다, 그만두게
  하다; 없애다, 폐지하다

- **I flaked out and decided to travel domestically instead.**

  저는 너무 피곤해서 국내여행으로 대신하기로 했어요.

- **I get changed and wash my hands.**

  저는 옷을 갈아입고 손을 씻어요.

- **I'll be back in a flash.**

  후딱 갔다 올게요.

o **I'm really getting pissed off.**

나는 머리끝까지 화났다.

o **I'm calling on behalf of Mr. Frank.**

프랭크 씨를 대신해서 전화하는 겁니다.

> **on behalf of**
> ~을 대신[대표]하여

o **I grew up in a large family.**

저는 대가족에서 자랐어요.

o **I guess he blazed a trail and I followed.**

그가 길을 열어주고 저는 그 길을 따랐던 것 같아요.

o **I guess he must have forked over a lot of money.**

그가 비싸게 주고 샀겠네요.

o **I had a hard time finding your house.**

당신의 집을 찾는 데 힘들었어요.

o **I had to come up with better ideas.**

저는 더 나은 아이디어를 떠올려야만 했어요.

o **I get it.**

알아들었어요.

매일 쓰는 유용한 문장

211
>>
225

○ I feel relieved after _____.
고민을 털어놓고 나니 마음이 편해졌어요.

○ _____.
동감이에요.

○ I felt like I was _____.
바늘 방석에 앉아 있는 기분이었어요.

○ He decided to _____.
그는 이 일에 끝장을 보기로 작정했다.

○ _____ to travel domestically
instead.
저는 너무 피곤해서 국내여행으로 대신하기로 했어요.

○ _____.
저는 옷을 갈아입고 손을 씻어요.

○ _____.
후딱 갔다 올게요.

- I'm really _____.
  나는 머리끝까지 화났다.

- _____ Mr. Frank.
  프랭크 씨를 대신해서 전화하는 겁니다.

- _____.
  저는 대가족에서 자랐어요.

- I guess he _____.
  그가 길을 열어주고 저는 그 길을 따랐던 것 같아요.

- I guess he must have _____.
  그가 비싸게 주고 샀겠네요.

- I had _____.
  당신의 집을 찾는 데 힘들었어요.

- I had to _____.
  저는 더 나은 아이디어를 떠올려야만 했어요.

- _____.
  알아들었어요.

○ **I had to play it by ear.**

그때그때 봐서 처리해야만 했어요.

○ **I had you going, didn't I?**

제가 당신을 속인 거죠, 그렇죠?

○ **I hardly know him.**

저는 그 사람을 몰라요.

○ **I hate to say this, but I don't like your friend.**

이런 말 하기 싫지만, 난 네 친구가 싫어.

○ **I hate to burst your bubble, but you don't have talent for it.**

환상을 깨고 싶지 않지만, 당신에게는 그런 재능이 없어요.

○ **I have a degree in Economics.**

저는 경제학을 전공했어요.

○ **I have a few problems to straighten out.**

해결해야 할 문제들이 있어요.

- **I have a get feeling that we are on the wrong track.**

  우리가 잘못하고 있다는 직감이 들어요.

- **I have a long way to go.**

  갈 길이 머네요.

- **I have mixed feelings about retirement.**

  퇴직을 하니 시원섭섭하군요.

- **He always reads the paper from cover to cover.**

  그는 항상 신문을 처음부터 끝까지 샅샅이 다 본다.

cover to cover
처음부터 끝까지

- **I have no appetite.**

  식욕이 없어요.

- **I have no clue.**

  전혀 모르겠어요.

- **I have no energy.**

  의욕이 없어요.

- **I have no idea.**

  전혀 모르겠어요.

매일 쓰는 유용한 문장

○ I had to _____.
그때그때 봐서 처리해야만 했어요.

○ _____, didn't I?
제가 당신을 속인 거죠, 그렇죠?

○ _____.
저는 그 사람을 몰라요.

○ _____, but I don't like your friend.
이런 말 하기 싫지만, 난 네 친구가 싫어.

○ _____, but you don't have talent for it.
환상을 깨고 싶지 않지만, 당신에게는 그런 재능이 없어요.

○ _____.
저는 경제학을 전공했어요.

○ I have a few _____.
해결해야 할 문제들이 있어요.

○ _____ we are on the wrong track.

우리가 잘못하고 있다는 직감이 들어요.

○ _____.

갈 길이 머네요.

○ _____ about retirement.

퇴직을 하니 시원섭섭하군요.

○ He always reads the paper _____.

그는 항상 신문을 처음부터 끝까지 샅샅이 다 본다.

○ _____.

식욕이 없어요.

○ _____.

전혀 모르겠어요.

○ _____.

의욕이 없어요.

○ _____.

전혀 모르겠어요.

- **I have some odds and ends to complete.**
  끝내야 할 자질구레한 일들이 좀 있어요.

- **I have the munchies.**
  약간 배가 고픈 것 같아요.

- **I have no doubt that without the right people, the initiative will fail.**
  적임자를 찾지 못하면 분명 계획은 실패할 것입니다.

- **It may be many years before the situation improves.**
  상황이 개선되기까지는 여러 해가 걸릴지도 모른다.

- **I have to got to go now.**
  지금 가야 해요.

- **I hope you get better soon.**
  곧 낫기를 바랄게요.

- **I have to take care of my brother.**
  제 남동생을 반드시 돌봐야 해요.

○ **I have to talk them into it.**
어서 그분들을 설득해 봐야겠네요.

○ **I haven't got all day.**
좀 서둘러 주시겠어요?

○ **I haven't heard from him for ages.**
오랫동안 그의 소식을 듣지 못했어요.

○ **I had to pay a fine for catching a trout out of season.**
나는 금어기에 송어를 낚아서 벌금을 물게 됐다.

○ **I hear you loud and clear.**
잘 듣고 있어요.

• pay a fine for
~에 대한 벌금을 내다

○ **I hit the sack early.**
저는 일찍 잠자리에 들어요.

○ **I hope it dies down soon.**
곧 약해지길 바래요.

• hit the sack
잠자리에 들다, 자다

○ **I hope you don't miss the bus.**
이 좋은 기회를 놓치지 마세요.

매일 쓰는 유용한 문장

- I have some _____.
  끝내야 할 자질구레한 일들이 좀 있어요.

- _____.
  약간 배가 고픈 것 같아요.

- _____ without the right
  people, the initiative will fail.
  적임자를 찾지 못하면 분명 계획은 실패할 것입니다.

- _____ the situation
  improves.
  상황이 개선되기까지는 여러 해가 걸릴지도 모른다.

- _____.
  지금 가야 해요.

- _____.
  곧 낫기를 바랄게요.

- _____ my brother.
  제 남동생을 반드시 돌봐야 해요.

- _____.

  어서 그분들을 설득해 봐야겠네요.

- _____.

  좀 서둘러 주시겠어요?

- _____ him for ages.

  오랫동안 그의 소식을 듣지 못했어요.

- I had to _____.

  나는 금어기에 송어를 낚아서 벌금을 물게 됐다.

- _____.

  잘 듣고 있어요.

- _____.

  저는 일찍 잠자리에 들어요.

- _____.

  곧 약해지길 바래요.

- _____.

  이 좋은 기회를 놓치지 마세요.

- **I hung it upside down.**
  그것을 거꾸로 걸어놓았어요.

- **I just wanna say I'm sorry.**
  나는 그저 내가 미안하다고 말하고 싶어요.

- **I just feel slightly tipsy.**
  약간 취한 것 같아요.

  ● tipsy 술이 약간 취한

- **I just threw up in the toilet.**
  방금 화장실에서 토했어요.

- **Say sorry to her before it's too late.**
  너무 늦기 전에 그녀에게 사과해라.

- **I just wasn't looking where I was going.**
  앞을 보지 않고 있었거든요.

- **I knew you would be very helpful.**
  당신이 도움이 될 줄 알았어요.

- **Don't try to get even with him.**
  그에게 복수하려 하지 마세요.

get even with
~에 대해 대갚음하다

o **It would be better late than never.**

아예 하지 않는 것보단 늦게라도 축하 해주는 게 나아요.

o **I know what you mean, but it is not as black as it's painted.**

무슨 말인지는 알겠어요. 하지만 그렇게까지 나쁘지는 않아요.

o **I learned many of his poems by heart.**

그의 많은 시들을 외웠어요.

o **I like to flop around the house.**

집에서 돌아다니는 것을 좋아해요.

o **I like to hang out with my friends.**

저는 친구들과 시간을 보내는 것을 좋아해요.

flop
(너무 지쳐서) 털썩 주
저앉다[드러눕다]

o **I logged on in order to check my emails.**

저는 이메일을 확인하기 위해 로그인 했어요.

o **I know what!**

아! 알았어요.

매일 쓰는 유용한 문장 —

- _____ .
  그것을 거꾸로 걸어놓았어요.

- I just wanna _____ .
  나는 그저 내가 미안하다고 말하고 싶어요.

- I just _____ .
  약간 취한 것 같아요.

- I just _____ .
  방금 화장실에서 토했어요.

- Say sorry to her _____ .
  너무 늦기 전에 그녀에게 사과해라.

- I just wasn't looking _____ .
  앞을 보지 않고 있었거든요.

- I knew _____ .
  당신이 도움이 될 줄 알았어요.

○ Don't try to _____.
그에게 복수하려 하지 마세요.

○ It would be _____.
아예 하지 않는 것보단 늦게라도 축하 해주는 게 나아요.

○ _____, but it is not
as black as it's painted.
무슨 말인지는 알겠어요. 하지만 그렇게까지 나쁘지는 않아요.

○ _____.
그의 많은 시들을 외웠어요.

○ I like to _____.
집에서 돌아다니는 것을 좋아해요.

○ I like to _____.
저는 친구들과 시간을 보내는 것을 좋아해요.

○ _____ in order to check my emails.
저는 이메일을 확인하기 위해 로그인 했어요.

○ _____!
아! 알았어요.

○ **I made it.**

제가 해냈어요.

○ **I made a reservation for tomorrow's lunch.**

내일 점심을 예약했어요.

○ **I'll make an effort to change that.**

난 그것을 바꾸기 위해 노력할 거야.

○ **I missed the bus so I couldn't care less now.**

이미 기회를 놓쳤으니 신경 쓸 필요도 없어요.

○ **I lost heart after finding out that I lost it.**

내가 그것을 잃어버렸다는 것을 알고 낙담했어요.

> ● lose heart
> 낙담하다, 자신감을
> 잃다

○ **I mistook yours for mine.**

당신의 물건을 제 것으로 착각했어요.

○ **I need a quicker heads up.**

더 미리 알려줘야 해요.

○ **I need a shoulder to cry on.**

저는 기댈 곳이 필요해요.

- **I need time to plan, pack and tie up all my loose ends.**

  계획을 세우고 짐도 싸고 남은 일들을 처리할 시간이 필요해요

- **Just leave me alone; otherwise I will just explode!**

  절 좀 내버려둬요. 그렇지 않으면 폭발할 거예요!

  otherwise
  그렇지 않으면

- **I need to pick your brains about good food and restaurants.**

  맛있는 음식과 좋은 음식점에 대한 당신의 아이디어가 필요해요.

- **I object to your opinions.**

  당신의 의견에 반대합니다.

- **I often go on a trip with my parents.**

  저는 부모님과 함께 자주 여행을 가요.

- **I often run into my childhood friends on the streets.**

  저는 종종 길에서 어린 시절 친구들과 우연히 마주쳐요.

  run into
  우연히 마주치다

- **I often search the web for movie reviews.**

  저는 종종 인터넷에서 영화 후기를 찾아봐요.

매일 쓰는 유용한 문장

- _____.
  제가 해냈어요.

- _____ for tomorrow's lunch.
  내일 점심을 예약했어요.

- _____ to change that.
  난 그것을 바꾸기 위해 노력할 거야.

- I missed the bus so I _____.
  이미 기회를 놓쳤으니 신경 쓸 필요도 없어요.

- _____ after finding out that I lost it.
  내가 그것을 잃어버렸다는 것을 알고 낙담했어요.

- _____ for mine.
  당신의 물건을 제 것으로 착각했어요.

- I need _____.
  더 미리 알려줘야 해요.

- I need _____.
  저는 기댈 곳이 필요해요.

- I need time _____.
  계획을 세우고 짐도 싸고 남은 일들을 처리할 시간이 필요해요

- Just leave me alone; _____!
  절 좀 내버려둬요. 그렇지 않으면 폭발할 거예요!

- _____ about good food and restaurants.
  맛있는 음식과 좋은 음식점에 대한 당신의 아이디어가 필요해요.

- _____.
  당신의 의견에 반대합니다.

- _____ with my parents.
  저는 부모님과 함께 자주 여행을 가요.

- _____ my childhood friends on the streets.
  저는 종종 길에서 어린 시절 친구들과 우연히 마주쳐요.

- _____ for movie reviews.
  저는 종종 인터넷에서 영화 후기를 찾아봐요.

- **I only come on strong in the morning.**

  저는 아침에만 활기찬 편이에요.

- **I only use this as a last resort because I'm tone-deaf.**

  저는 음치라서 이 방법을 최후의 수단으로 써요.

- **I owe you one.**

  신세를 졌군요.

- **I plead the fifth on that.**

  그것에 관해서는 대답하지 않을게요.

- **I promise to do my best.**

  최선을 다할 것을 약속해요.

- **I redeemed a special coupon that came in the mail.**

  우편으로 받은 특별 쿠폰을 상품으로 교환했어요.

  ↖ that은 coupon을 꾸며주는 형용사절을 이끄는 관계대명사

- **Day by day his condition improved.**

  조금씩 그의 상태가 좋아졌다.

- **I see.**

  알았어요.

○ **I suppose you're not completely out in left field.**

당신이 전혀 잘못 알고 있는 건 아니네요.

out in left field
완전히 잘못 생각하여,
머리가 이상하여

○ **I swear to God I didn't break the frame.**

맹세코 제가 액자를 깨지 않았어요.

○ **I think I should put the party off to the 20th.**

아무래도 파티를 20일로 미뤄야 할 것 같아요.

put off ~을 미루다

○ **I think I woke up on the wrong side of the bed.**

오늘 일진이 사나운 것 같아요.

○ **I think I'm going off my job.**

제 일에 싫증이 나요.

○ **I swear to God.**

맹세해요.

○ **I taught myself.**

혼자서 배웠어요.

매일 쓰는 유용한 문장

- I only _____.
  저는 아침에만 활기찬 편이에요.

- I only use this _____.
  저는 음치라서 이 방법을 최후의 수단으로 써요.

- _____.
  신세를 졌군요.

- _____.
  그것에 관해서는 대답하지 않을게요.

- _____.
  최선을 다할 것을 약속해요.

- _____ that came in the mail.
  우편으로 받은 특별 쿠폰을 상품으로 교환했어요.

- _____ his condition improved.
  조금씩 그의 상태가 좋아졌다.

- _____.
  알았어요.

- I suppose you're _____.
  당신이 전혀 잘못 알고 있는 건 아니네요.

- _____ I didn't break the frame.
  맹세코 제가 액자를 깨지 않았어요.

- I think I should _____.
  아무래도 파티를 20일로 미뤄야 할 것 같아요.

- I think I _____.
  오늘 일진이 사나운 것 같아요.

- I think _____.
  제 일에 싫증이 나요.

- _____.
  맹세해요.

- _____.
  혼자서 배웠어요.

○ **I think it was cut-and-dried.**
저는 그것이 미리 준비된 것이었다고 생각해요.

○ **I think it will take a while to gain grounds.**
그것이 자리를 잡는 데에는 시간이 좀 걸릴 것 같아요.

○ **I think that's just wishful thinking.**
그건 그냥 희망사항인 것 같아요.

○ **We need to create programs to wean people off their addiction to gadgets and SNS.**
우리는 사람들이 기기와 SNS 중독에서 빠져나올 수 있도록 프로그램들을 개발해야 해요.

○ **I think their excitement has toned down.**
그들의 흥분이 가라앉은 것 같아요.

tone down
(어조 · 견해 등을) 좀
더 누그러뜨리다[부드
럽게 하다]

○ **I think they are just playing the devil's advocate.**
그들은 일부러 반대 의견을 말하고 있다고 생각해요.

chemistry
(사람 사이의) 화학 반응(보통 성적으로 강하게 끌리는 것을 가리킴)

○ **I think we have very good chemistry between us.**

우리는 통하는 데가 있는 것 같군요.

○ **I think you have time coming out your ears for the party.**

파티 할 시간은 충분할 것 같은데요?

an arm and a leg 거액의 돈, 막대한 경비

○ **It would cost me an arm and a leg.**

엄청난 거금이 들겠죠.

○ **I took a picture for my new passport.**

여권에 쓸 사진을 찍었어요.

○ **Let's toss up for the first choice.**

누가 먼저 고를 것인지 동전 던지기로 정하자.

○ **I tossed and turned all night**

밤 새 한 숨 못 잤어요.

○ **I totally spaced out on that one.**

까맣게 잊고 있었어요.

○ **I want to buy this no matter how expensive it is.**

아무리 비싸더라도 이걸 사고 싶어요.

○ **I want you to take pride in your work.**

당신의 일에 자부심을 가졌으면 좋겠어요.

매일 쓰는 유용한 문장 —

○ I think _____.
저는 그것이 미리 준비된 것이었다고 생각해요.

○ I think _____.
그것이 자리를 잡는 데에는 시간이 좀 걸릴 것 같아요.

○ I think _____.
그건 그냥 희망사항인 것 같아요.

○ We need to create programs to

_____.

우리는 사람들이 기기와 SNS 중독에서 빠져나올 수 있도록
프로그램들을 개발해야 해요.

○ I think _____.
그들의 흥분이 가라앉은 것 같아요.

○ I think _____.
그들은 일부러 반대 의견을 말하고 있다고 생각해요.

○ I think we have very _____.
우리는 통하는 데가 있는 것 같군요.

- I think you have time _____.
  파티 할 시간은 충분할 것 같은데요?

- It would _____.
  엄청난 거금이 들겠죠.

- I _____ my new passport.
  여권에 쓸 사진을 찍었어요.

- _____ for the first choice.
  누가 먼저 고를 것인지 동전 던지기로 정하자.

- _____ all night
  밤 새 한 숨 못 잤어요.

- _____ on that one.
  까맣게 잊고 있었어요.

- I want to buy this _____.
  아무리 비싸더라도 이걸 사고 싶어요.

- I want you to _____.
  당신의 일에 자부심을 가졌으면 좋겠어요.

- **I was a good student when I was in school.**

  학교 다닐 때 저는 좋은 학생이었어요.

- **I was actually of two minds about it.**

  사실 그것에 대해 결정을 못했어요.

- **I was at my wit's end when I found out my wallet had been stolen.**

  지갑을 도둑 맞았다는 걸 알고 어찌할 바를 몰랐어요.

- **I was in a fender-bender this morning.**

  오늘 아침에 가벼운 접촉사고가 있었어요.

- **I was in the dark on that one.**

  저는 그것에 대해 전혀 몰랐어요.

- **I was told that.**

  그렇게 들었어요.

- **I wil drink to that.**

  동감이에요.

○ **I will be in touch.**

연락드릴게요.

○ **Most of them were in the middle of nowhere.**

대부분 어딘지도 모르는 곳이었어요.

nowhere 아무데도 [어디에도] (…않다[없다])

○ **I was really looking forward to moshing it up with you.**

당신과 신나게 춤추는 걸 기대했었어요.

look forward to -ing ～하기를 기대하다

○ **I was so bored there when others were having a ball.**

다들 회식 자리를 신나게 즐겼지만 저는 너무 지루했어요.

○ **I was tied up all day yesterday.**

어제 하루 종일 바빴어요.

○ **I will beat around the bush no longer.**

더 이상 둘러대지 않고 단도직입적으로 말할게.

○ **Beat it.**

(여기서) 꺼져!

○ **I will do it for you.**

해드릴게요.

매일 쓰는 유용한 문장

○ I was a good student _____.
학교 다닐 때 저는 좋은 학생이었어요.

○ _____ about it.
사실 그것에 대해 결정을 못했어요.

○ _____ when I found out my
wallet had been stolen.
지갑을 도둑 맞았다는 걸 알고 어찌할 바를 몰랐어요.

○ _____ this morning.
오늘 아침에 가벼운 접촉사고가 있었어요.

○ _____.
저는 그것에 대해 전혀 몰랐어요.

○ _____.
그렇게 들었어요.

○ _____.
동감이에요.

- _____.
  연락드릴게요.

- Most of them were _____.
  대부분 어딘지도 모르는 곳이었어요.

- _____ moshing it up with you.
  당신과 신나게 춤추는 걸 기대했었어요.

- I was so bored there when _____.
  다들 회식 자리를 신나게 즐겼지만 저는 너무 지루했어요.

- _____ all day yesterday.
  어제 하루 종일 바빴어요.

- _____ no longer.
  더 이상 둘러대지 않고 단도직입적으로 말할게.

- _____.
  (여기서) 꺼져!

- _____.
  해드릴게요.

- **I will email you as soon as I get home.**

  집에 가자마자 이메일을 보내드릴게요.

- **I will get it.**

  제가 받을게요.(전화를)

- **I will go nuts if I lose my wallet again.**

  만약에 제 지갑을 또 잃어버린다면 미쳐버릴 거예요.

  ● **go nuts**
  열중하다, 미치다

- **I will have to cram for the exam.**

  시험을 위해 벼락치기 공부를 해야 해요.

- **I will miss you.**

  그리울 거예요.

- **I will never make it on time.**

  제 시간에 가기는 틀렸네요.

- **I will probably sleep like a log over the weekend.**

  저는 아마 주말 내내 정신없이 잘 거예요.

- **I will stay with my brother for the time being.**

  저는 당분간 제 남동생과 지낼 거예요.

- **I wonder why the people let him get behind the wheel.**

  get behind the
  wheel 운전하다

  왜 다른 사람들이 그가 운전하게 내버려두었는지 이해가 안 돼요.

- **I would give my right arm for a nicer, but cheaper car.**

  더 좋은데 가격은 더 싼 차를 사기 위해서라면 무엇이든 기꺼이 할 거예요.

- **I would go for something usual to be on the safe side.**

  저라면 안전한 쪽을 택해서 평범한 걸 사 가겠어요.

- **I will take your word for it.**

  take one's word
  (for something)
  누구의 말을 그대로 받아들이다, 그대로 믿다

  당신의 말을 믿을게요.

- **I will win this competition at any cost.**

  어떻게 해서든 이 대회에서 이길 거예요.

- **I wish you would just butt out!**

  당신이 담배 좀 그만 피웠으면 좋겠어요!

- **I won't take it personally.**

  오해하지 않을게요.

- I will email you _____.
  집에 가자마자 이메일을 보내드릴게요.

- _____.
  제가 받을게요.(전화를)

- _____ if I lose my wallet again.
  만약에 제 지갑을 또 잃어버린다면 미쳐버릴 거예요.

- _____ for the exam.
  시험을 위해 벼락치기 공부를 해야 해요.

- _____.
  그리울 거예요.

- _____.
  제 시간에 가기는 틀렸네요.

- I will probably _____.
  저는 아마 주말 내내 정신없이 잘 거예요.

I will stay with my brother _____.
저는 당분간 제 남동생과 지낼 거예요.

I wonder why the people let him

_____.

왜 다른 사람들이 그가 운전하게 내버려두었는지 이해가 안 돼요.

_____, but cheaper car.
더 좋은데 가격은 더 싼 차를 사기 위해서라면 무엇이든 기꺼이
할 거예요.

I would go for _____.
저라면 안전한 쪽을 택해서 평범한 걸 사 가겠어요.

_____.

당신의 말을 믿을게요.

I will win this competition _____.
어떻게 해서든 이 대회에서 이길 거예요.

I wish you _____!
당신이 담배 좀 그만 피웠으면 좋겠어요!

_____.

오해하지 않을게요.

- **I wouldn't say no.**
  아니라고 하지는 않을게요.

- **I'd be interested to hear more about your plans while you're here.**
  당신이 이곳에 계시는 동안의 계획들에 대해서 더 듣고 싶어요.

- **I'd be just loafing around the house.**
  집에서 빈둥거리기만 할 텐데요.

- **I'd better go hit the books.**
  공부하러 가야겠어요.

- **I'd give my right arm for sci-fi books!**
  저는 공상과학 책이라면 사족을 못 써요!

- **I'd like to have our promise on paper.**
  우리의 약속을 서면으로 적어두었으면 해요.

- **I'd like to subscribe to the magazine.**
  그 잡지를 구독하고 싶어요.

○ **I'd like to travel around the world.**
저는 전 세계를 여행하고 싶어요.

○ **I'd never heard it before, but it was absolutely to my liking.**
전에 들어본 적이 없었는데, 그건 완전히 제 취향이었어요.

absolutely
전적으로, 틀림없이

○ **I'd rather go commando than wear these!**
이것을 입느니 속옷을 입지 않는 게 나을 것 같아요!

○ **I'd rather you didn't, I'm afraid.**
죄송하지만 그렇게 하지 않으셨으면 좋겠어요.

○ **You've got nothing to lose.**
잃을 게 없어요.

○ **I'll be there with bells on.**
꼭 갈게요.

with bells on
기꺼이, 열심히

○ **I'll catch up with you later.**
나중에 뒤따라갈게요.

○ **I'll eat my hat**
손에 장을 지지겠다.

o _____.

아니라고 하지는 않을게요.

o _____ your plans

while you're here.

당신이 이곳에 계시는 동안의 계획들에 대해서 더 듣고 싶어요.

o I'd be just _____.

집에서 빈둥거리기만 할 텐데요.

o _____.

공부하러 가야겠어요.

o _____ for sci-fi books!

저는 공상과학 책이라면 사족을 못 써요!

o I'd like to _____.

우리의 약속을 서면으로 적어두었으면 해요.

o I'd like to _____.

그 잡지를 구독하고 싶어요.

- I'd like to _____.
  저는 전 세계를 여행하고 싶어요.

- I'd never heard it before,

  _____.

  전에 들어본 적이 없었는데, 그건 완전히 제 취향이었어요.

- _____ go commando than wear these!
  이것을 입느니 속옷을 입지 않는 게 나을 것 같아요!

- _____.

  죄송하지만 그렇게 하지 않으셨으면 좋겠어요.

- _____.

  잃을 게 없어요.

- _____.

  꼭 갈게요.

- _____.

  나중에 뒤따라갈게요.

- _____

  손에 장을 지지겠다.

매일 쓰는 유용한 문장 암기 연습

o **I'll foot the bill.**
제가 살게요.

o **I'll get you back next time.**
다음 번에 갚을게요.

o **I'll go for the lesser evil.**
차선책을 선택할게요.

↘ lesser 중요성이 덜한

o **I'll go to the meeting in place of him.**
제가 그를 대신하여 회의에 참석하겠습니다.

o **I'll have the whip cream on the side.**
휘핑크림도 곁들여서 올려주세요.

o **I'll just have to make do with that.**
아쉬운 대로 그걸로 대체해야겠네요.

o **I'll lay odds you like getting
indigestion even less!**
소화불량에 덜 걸릴 거라고 내기에 걸게요!

- **I'll lend you money as long as you will pay me back.**

  돈을 갚는다면 빌려줄게요.

- **I'll make sure I won't be left holding the baby.**

  제가 책임을 떠맡지 않도록 확실히 해 두어야겠어요.

- **I'll need to rack my brains on this one.**

  이 문제에 대해 깊이 생각해 봐야 겠어요.

- **I'll never be stumped if I need to ask for directions or negotiate with someone.**

  길을 묻거나 누군가와 흥정을 해야 할 때 결코 쩔쩔매지 않겠죠.

- **I'll see what I've got to do on Friday and get back to you.**

  제가 금요일에 할 일이 있는지 확인해 보고 다시 알려 드릴게요.

- **I'll show you your walking papers!**

  저는 당신에게 해고 통지를 내릴 거예요.

- **I'll sleep on it, but I'll be up to my neck next month.**

  더 생각해 보겠지만, 다음 달에는 정말 바쁠 거예요.

- **I'll tell them a thing or two about the kids.**

  그들한테 아이들에 대해 한 마디 좀 해야겠어.

매일 쓰는 유용한 문장 ——

○ _____ .

제가 살게요.

○ _____ .

다음 번에 갚을게요.

○ _____ .

차선책을 선택할게요.

○ I'll go to the meeting _____ .

제가 그를 대신하여 회의에 참석하겠습니다.

○ I'll have the whip cream _____ .

휘핑크림도 곁들여서 올려주세요.

○ I'll just have to _____ .

아쉬운 대로 그걸로 대체해야겠네요.

○ _____ like getting

indigestion even less!

소화불량에 덜 걸릴 거라고 내기에 걸게요!

- I'll lend you money _____.
  돈을 갚는다면 빌려줄게요.

- _____ I won't be left holding the baby.
  제가 책임을 떠맡지 않도록 확실히 해 두어야겠어요.

- I'll need to _____.
  이 문제에 대해 깊이 생각해 봐야 겠어요.

- _____ if I need to ask for directions or negotiate with someone.
  길을 묻거나 누군가와 흥정을 해야 할 때 결코 쩔쩔매지 않겠죠.

- I'll see _____ on Friday and get back to you.
  제가 금요일에 할 일이 있는지 확인해 보고 다시 알려 드릴게요.

- I'll show you _____!
  저는 당신에게 해고 통지를 내릴 거예요.

- _____, but I'll be up to my neck next month.
  더 생각해 보겠지만, 다음 달에는 정말 바쁠 거예요.

- _____ about the kids.
  그들한테 아이들에 대해 한 마디 좀 해야겠어.

o **I'll tell you what, bicycles are back in.**

있잖아요, 요즘 자전거가 다시 인기를 끌고 있어요.

o **I'm a regular.**

난 단골이야.

o **I'm a scaredy-cat around water.**

저는 물 근처에만 가도 겁이 나요.

o **I'm afraid I have two left feet.**

안타깝게도 저는 몸치에요.

o **I'm at the end of my rope.**

벼랑 끝에 몰려있어요.

o **I'm desperate to see you.**

당신을 간절히 보고 싶어요.

o **I'm brushing up on useful expressions right now.**

저는 지금 유용한 표현들을 복습하고 있어요.

● brush up
～의 공부를 다시 하다

- **I'm dying to travel to Paris.**

  파리에 꼭 가고 싶어 미치겠어요.

- **I'm feeling a tad out of sorts this morning.**

  오늘 아침은 컨디션이 좋지 않네요.

out of sorts
몸이 불편한; 기분이 언짢은

- **I'm going to do right by you.**

  제가 잘 처리해줄게요.

- **I'm going to hunt more for bargains.**

  싸고 좋은 물건을 더 찾아보려고요.

- **I'm going to put that aside for Tom.**

  톰을 위해 그것을 남겨둘 거예요.

- **I'm in no mood for wine tonight.**

  오늘 밤은 와인을 마실 기분이 아니에요.

- **I can't afford that.**

  형편이 안 돼요.

- **I can't help it.**

  어쩔 수 없어요.

매일 쓰는 유용한 문장

○ _____, bicycles are back in.
있잖아요, 요즘 자전거가 다시 인기를 끌고 있어요.

○ _____.
난 단골이야.

○ I'm _____.
저는 물 근처에만 가도 겁이 나요.

○ I'm afraid _____.
안타깝게도 저는 몸치에요.

○ _____.
벼랑 끝에 몰려있어요.

○ _____.
당신을 간절히 보고 싶어요.

○ _____ on useful expressions right now.
저는 지금 유용한 표현들을 복습하고 있어요.

- _____ travel to Paris.

  파리에 꼭 가고 싶어 미치겠어요.

- I'm feeling _____ this morning.

  오늘 아침은 컨디션이 좋지 않네요.

- I'm going _____.

  제가 잘 처리해줄게요.

- I'm going _____.

  싸고 좋은 물건을 더 찾아보려고요.

- I'm going _____.

  톰을 위해 그것을 남겨둘 거예요.

- _____.

  오늘 밤은 와인을 마실 기분이 아니에요.

- _____.

  형편이 안 돼요.

- _____.

  어쩔 수 없어요.

o **I'm in over my head.**

제 힘으로 어떻게 할 수가 없어요.

o **I'm just about to drop.**

금방이라도 쓰러질 것 같아요.

o **I'm not familiar with this topic.**

이 주제에 관해서는 잘 모릅니다.

be familiar with
~에 익숙하다

o **I'm not interested in kicking it with a litterbug.**

저는 쓰레기를 함부로 버리는 사람이랑 놀 생각이 없어요.

o **I'm not on the fence at all.**

정확히 대답할 수 있어요.

o **I'm open to all opinions.**

저는 모든 의견을 받아들일 준비가 되어있어요.

o **I'm really burnt out because of my workload.**

업무량 때문에 너무 피곤해요.

○ **I'm sick and tired of this job.**

이 일은 지겨워요.

○ **I'm sure she's going to tell me to do all her dirty work.**

분명 그녀는 저한테 온갖 뒤치다꺼리를 다 시킬 걸요.

○ **I'm so butter-fingered.**

전 정말 물건을 너무 잘 떨어뜨리는 것 같아요.

○ **I'm so fed up with her stories.**

저는 그녀의 이야기에 정말 질렸어요.

○ **I'm so glad that you decided to turn over a new leaf.**

당신이 새 사람이 되기로 결심해서 정말 기뻐요.

◗ new leaf
새잎, 새 사람

○ **I'm so hooked on coffee.**

저는 커피에 너무 중독돼 있어요.

◗ hooked on
~에 중독되어 있는

○ **I'm so jealous of her.**

그녀가 부러워요.

○ **I'm sorry to inform you on short notice.**

갑작스럽게 알려드려서 죄송합니다.

매일 쓰는 유용한 문장

- _____.
  제 힘으로 어떻게 할 수가 없어요.

- _____.
  금방이라도 쓰러질 것 같아요.

- _____.
  이 주제에 관해서는 잘 모릅니다.

- I'm not interested _____.
  저는 쓰레기를 함부로 버리는 사람이랑 놀 생각이 없어요.

- _____.
  정확히 대답할 수 있어요.

- _____.
  저는 모든 의견을 받아들일 준비가 되어있어요.

- _____ because of my workload.
  업무량 때문에 너무 피곤해요.

○ _____ this job.
이 일은 지겨워요.

○ I'm sure she's going to tell me _____.
분명 그녀는 저한테 온갖 뒤치다꺼리를 다 시킬 걸요.

○ _____.
전 정말 물건을 너무 잘 떨어뜨리는 것 같아요.

○ _____.
저는 그녀의 이야기에 정말 질렸어요.

○ I'm so glad that you decided to

_____.
당신이 새 사람이 되기로 결심해서 정말 기뻐요.

○ _____.
저는 커피에 너무 중독돼 있어요.

○ _____.
그녀가 부러워요.

○ I'm sorry to _____.
갑작스럽게 알려드려서 죄송합니다.

○ **I'm sure you'll find something that floats your boat.**
살만한 것을 찾을 수 있을 거예요.

○ **I'm too pressed for time.**
저는 너무 시간에 쫓기고 있어요.

> pressed
> 시간이 충분하지 않은

○ **I'm trapped in a vicious circle.**
악순환의 고리 속에 갇혔어요.

○ **I'm very nervous about the presentation.**
프레젠테이션 때문에 매우 긴장돼요.

○ **I've been having a craving for meat all this week.**
이번 주 내내 고기가 먹고 싶었어요.

○ **It's beautiful.**
멋지네요.

○ **I've had it with this.**
그에게 가서 한 마디 해야겠어.

I'm going to sort him out.

더 이상 참을 수가 없어.

I've been packing on the pounds recently.

요새 살이 좀 쪘어요.

pack on the pounds 살이 찌다

If anything, I'd be getting the short end of the stick.

오히려 제가 손해 보는 입장일 것 같은데요.

get the short end of the stick 손해 보는 일을 하다

If I should be so lucky, could I borrow it sometime?

그러기 쉽진 않겠지만, 제가 언제 한번 빌릴 수 있을까요?

Can I call you tonight?

제가 오늘 밤에 연락 드려도 될까요?

Come clean about your mistake.

실수를 자백하세요.

I've gotten off on the wrong foot.

시작부터 일이 잘못 되었어요.

It's cool.Incredible.

멋지네요. 대단해요.

매일 쓰는 유용한 문장 ────

406
>>
420

- I'm sure you'll find something _____.
  살만한 것을 찾을 수 있을 거예요.

- _____.
  저는 너무 시간에 쫓기고 있어요.

- I'm _____.
  악순환의 고리 속에 갇혔어요.

- I'm very _____.
  프레젠테이션 때문에 매우 긴장돼요.

- I've been _____ meat all this week.
  이번 주 내내 고기가 먹고 싶었어요.

- _____.
  멋지네요.

- _____.
  그에게 가서 한 마디 해야겠어.

○ _____.

더 이상 참을 수가 없어.

○ I've been _____ recently.

요새 살이 좀 쪘어요.

○ If anything, I'd be _____.

오히려 제가 손해 보는 입장일 것 같은데요.

○ _____, could I borrow it
sometime?

그러기 쉽진 않겠지만, 제가 언제 한번 빌릴 수 있을까요?

○ Can I _____?

제가 오늘 밤에 연락 드려도 될까요?

○ _____.

실수를 자백하세요.

○ _____.

시작부터 일이 잘못 되었어요.

○ _____.

멋지네요. 대단해요.

○ **In a nutshell, it is impossible.**

한마디로, 그것은 불가능합니다.

○ **In a sense, he is nothing but a suit.**

어떤 면에서 그는 헛깨비나 다름 없어요.

○ **In my judgment, blue looks better on you.**

제가 생각하기에는 파란색이 더 잘 어울리는 것 같아요.

○ **If you grin and bear it, we will get there in no time.**

잘 참고 견디면, 우리는 곧 도착할 거예요.

○ **Don't keep dragging your heels.**

계속 꾸물거리지 마.

○ **Is that all?**

그게 전부에요?

○ **It's all right.**

괜찮습니다.

○ **It's all your fault.**

당신 잘못이에요.

- **It's always easier said than done.**

  말이야 항상 행동보다 쉽지.

- **In the cold light of day, my idea was rather silly.**

  차분히 시간을 갖고 생각해보니, 제 생각이 어리석었어요.

> • in the cold light of day 차분히 시간을 갖고 생각해 보면

- **I've been looking all over for you.**

  당신을 찾느라 온통 헤매고 다녔어요.

- **I've been sick as a dog for over two weeks.**

  저는 2주가 넘도록 몸이 너무 안 좋았어요.

> • (as) sick as a dog 몸이 극도로 안 좋은; 많이 토하는

- **You'll never hear the end of it.**

  이러다가는 얘기가 끝이 나질 않겠어요.

- **It's for you.**

  여기 전화 왔어요.

- **It's free.**

  공짜에요.

매일 쓰는 유용한 문장

○ _____, it is impossible.
한마디로, 그것은 불가능합니다.

○ _____, he is nothing but a suit.
어떤 면에서 그는 헛깨비나 다름 없어요.

○ _____, blue looks better on you.
제가 생각하기에는 파란색이 더 잘 어울리는 것 같아요.

○ _____, we will get there in no time.
잘 참고 견디면, 우리는 곧 도착할 거예요.

○ _____.
계속 꾸물거리지 마.

○ _____?
그게 전부에요?

○ _____.
괜찮습니다.

- _____.
  당신 잘못이에요.

- It's always _____.
  말이야 항상 행동보다 쉽지.

- _____, my idea was rather silly.
  차분히 시간을 갖고 생각해보니, 제 생각이 어리석었어요.

- I've been _____.
  당신을 찾느라 온통 헤매고 다녔어요.

- I've been _____.
  저는 2주가 넘도록 몸이 너무 안 좋았어요.

- _____.
  이러다가는 얘기가 끝이 나질 않겠어요.

- _____.
  여기 전화 왔어요.

- _____.
  공짜에요.

- **It's freezing.**
  엄청 춥네요.

- **It's my fault.**
  제 잘못입니다.

- **It's my pleasure.**
  천만에요.

- **It's my turn.**
  제 차례입니다.

- **It's not fair.**
  불공평해요.

- **It's really bad.**
  아주 나빠요.

- **It's tough.**
  힘들어요.

- **It's your turn.**
  당신 차례에요.

- **It ain't over till it's over**

  끝까지 가봐야 한다.

- **It blows my mind.**

  그건 충격적이에요.

- **It boils down to one obvious thing.**

  한 가지로 명백하게 요약될 수 있어요.

  > **boil down to**
  > 핵심이 ～이다

- **It came into effect as of yesterday.**

  그것은 어제부터 효력이 발생했어요.

  > **as of yesterday**
  > 어제부터

- **It costs an arm and a leg to study abroad.**

  해외 유학은 엄청나게 많은 비용이 들어요.

- **It's now or never.**

  지금이 절호의 기회에요.

- **It's on me.**

  제가 살게요.

매일 쓰는 유용한 문장 ─

○ _____.

엄청 춥네요.

○ _____.

제 잘못입니다.

○ _____.

천만에요.

○ _____.

제 차례입니다.

○ _____.

불공평해요.

○ _____.

아주 나빠요.

○ _____.

힘들어요.

- _____.
  당신 차례에요.

- _____.
  끝까지 가봐야 한다.

- _____.
  그건 충격적이에요.

- _____ one obvious thing.
  한 가지로 명백하게 요약될 수 있어요.

- It came into effect _____.
  그것은 어제부터 효력이 발생했어요.

- _____ to study abroad.
  해외 유학은 엄청나게 많은 비용이 들어요.

- _____.
  지금이 절호의 기회에요.

- _____.
  제가 살게요.

○ **It could have been worse, though.**

그래도 이만하면 다행이야.

○ **It depends on the weather.**

날씨에 따라 달라요.

○ **It doesn't necessarily mean you lose weight.**

반드시 체중이 감소하는 건 아니에요.

> necessarily 어쩔수 없이, 필연적으로

○ **It goes without saying that they make the best pizza.**

그들이 최고의 피자를 만든다는 것은 말할 필요도 없어요.

○ **It felt like someone took a jackhammer to me.**

마치 누가 저를 때린 것 같았어요.

○ **It gets you nowhere.**

그건 아무런 도움이 안 돼요.

○ **It is humid.**

습하네요.

It is muggy.

후덥지근하네요.

I could learn a lot from people as well as from books.

책에서뿐만 아니라 사람들한테서도 많은 걸 배웠습니다.

It is best left unsaid for security reasons.

보안상의 이유로 말하지 않는 게 제일 낫겠어요.

left unsaid
말하지 않은 채로 남겨진

It's nice of you to say good things about your coworkers.

동료들을 칭찬하다니 잘하셨어요.

It is difficult to say we are fully affected.

우리가 충분히 영향을 받는다고 말하기 어렵다.

It is out of style.

유행이 아니에요.

It is painful for me.

제겐 참 고통스럽네요.

It is chilly.

날씨가 쌀쌀해요.

매일 쓰는 유용한 문장

- _____, though.

  그래도 이만하면 다행이야.

- _____ the weather.

  날씨에 따라 달라요.

- It _____ mean you lose weight.

  반드시 체중이 감소하는 건 아니에요.

- _____ they make the best pizza.

  그들이 최고의 피자를 만든다는 것은 말할 필요도 없어요.

- It felt like someone _____.

  마치 누가 저를 때린 것 같았어요.

- _____.

  그건 아무런 도움이 안 돼요.

- _____..

  습하네요.

○ _____.
후덥지근하네요.

○ I could learn a lot from people _____.
책에서뿐만 아니라 사람들한테서도 많은 걸 배웠습니다.

○ It is best _____.
보안상의 이유로 말하지 않는 게 제일 낫겠어요.

○ _____ good things about your coworkers.
동료들을 칭찬하다니 잘하셨어요.

○ _____ we are fully affected.
우리가 충분히 영향을 받는다고 말하기 어렵다.

○ _____.
유행이 아니에요.

○ _____.
제겐 참 고통스럽네요.

○ _____.
날씨가 쌀쌀해요.

- **It is time to go.**
  가야 할 시간입니다.

- **It is windy.**
  바람이 부네요.

- **If you think about it, this is a serious issue.**
  여러분도 곰곰이 생각해보면, 이건 심각한 문제다.

- **It prevents you from catching a cold.**
  그것은 감기에 걸리는 것을 예방해요.

- **It makes sense.**
  말 되네요.

- **It rained cats and dogs all night.**
  밤새 비가 억수같이 왔어요.

- **It really gets me when I get cold calls when I'm busiest.**
  제일 바쁜 때 스팸 전화가 오면 정말 짜증나요.

  ↘ cold call 콜드 콜.
  미지의 가망 고객에게 투자[상품구입]를 권유하기 위한 전화접촉 또는 방문

- **It seemed like a good idea at the time.**

  그때에는 그것이 좋은 생각인 것 같았다.

- **It sounds fishy to me.**

  전 그것이 수상쩍게 들리네요.

- **She seems tailor-made for the job.**

  그녀는 그 (일)자리에 안성맞춤인 것 같다.

- **It takes time.**

  시간이 걸려요.

- **It took ages to memorize all the lines.**

  대사를 다 외우는 데 오랜 시간이 걸렸어요.

> memorize 외우다, 암기하다

- **It usually disappears before you know it**

  보통 자기 자신도 모르는 사이에 사라져요.

- **It was a no-brainer.**

  그것은 아주 쉬운 문제였어요.

- **It runs in the family.**

  집안 내력이에요.

매일 쓰는 유용한 문장 ——

- _____ .
  가야 할 시간입니다.

- _____ .
  바람이 부네요.

- _____ , this is a serious issue.
  여러분도 곰곰이 생각해보면, 이건 심각한 문제다.

- _____ catching a cold.
  그것은 감기에 걸리는 것을 예방해요.

- _____ .
  말 되네요.

- _____ all night.
  밤새 비가 억수같이 왔어요.

- It really gets me _____
  when I'm busiest.
  제일 바쁜 때 스팸 전화가 오면 정말 짜증나요.

- It _____ at the time.
  그때에는 그것이 좋은 생각인 것 같았다.

- _____.
  전 그것이 수상쩍게 들리네요.

- She seems _____.
  그녀는 그 (일)자리에 안성맞춤인 것 같다.

- _____.
  시간이 걸려요.

- _____ memorize all the lines.
  대사를 다 외우는 데 오랜 시간이 걸렸어요.

- It usually disappears _____.
  보통 자기 자신도 모르는 사이에 사라져요.

- _____.
  그것은 아주 쉬운 문제였어요.

- _____.
  집안 내력이에요.

○ **It was absolutely mind-blowing.**

그것은 정말 놀라웠어요.

● mind-blowing
너무 신나는, 감동적인

○ **It was all Greek to me.**

무슨 말인지 하나도 모르겠어요.

○ **It was because I've got a memory like a sieve.**

단지 제 기억력이 나빠서였어요.

○ **It was handed down to me.**

이건 제가 물려받은 거예요.

○ **It's a living death actually.**

사실 산 송장이나 다를 바 없죠.

○ **It was just a waste of time, if you ask me.**

제 생각에는 시간 낭비였어요.

○ **It was like love at first sight, you know.**

마치 첫 눈에 반한 것 같았죠.

○ **It was nonsense to develop the story like that.**

왜 이야기를 그런 식으로 전개했는지 도무지 이해할 수 없었어요.

- **It will take a while because all our shoes are made-to-order.**

  저희 모든 신발이 맞춤 제작이어서 시간이 다소 걸릴 거예요.

made-to-order
주문형 맞춤 제작

- **It's a boring excuse, but it might save me.**

  진부한 변명이긴 하지만, 저를 곤란한 상황에서 구해 줄지 몰라요.

- **It'll make your jaw drop!**

  입이 떡 벌어질 거예요!

- **You can't buy a house on the spur of the moment.**

  집을 순간적인 충동으로 살 수는 없잖아요.

on the spur of the moment 순간적인 충동에서, 충동적으로

- **It's a blessing in disguise!**

  뜻밖의 좋은 결과네요!

- **Same to you.**

  당신도요.

- **Say cheese!**

  김~~~치~~~!

매일 쓰는 유용한 문장

○ It was absolutely _____.
그것은 정말 놀라웠어요.

○ _____.
무슨 말인지 하나도 모르겠어요.

○ _____ I've got a memory like a sieve.
단지 제 기억력이 나빠서였어요.

○ _____.
이건 제가 물려받은 거예요.

○ _____.
사실 산 송장이나 다를 바 없죠.

○ It was just a _____, if you ask me.
제 생각에는 시간 낭비였어요.

○ It was like _____, you know.
마치 첫 눈에 반한 것 같았죠.

○ _____ to develop the story like that.

왜 이야기를 그런 식으로 전개했는지 도무지 이해할 수 없었어요.

○ It will take a while because

_____.

저희 모든 신발이 맞춤 제작이어서 시간이 다소 걸릴 거예요.

○ _____, but it might save me.

진부한 변명이긴 하지만, 저를 곤란한 상황에서 구해줄지 몰라요.

○ _____!

입이 떡 벌어질 거예요!

○ You can't buy a house _____.

집을 순간적인 충동으로 살 수는 없잖아요.

○ _____!

뜻밖의 좋은 결과네요!

○ _____.

당신도요.

○ _____!

김~~~치~~~!

매일 쓰는 유용한 문장 암기 연습

496
>>
510

- **It's a piece of cake.**
  그건 식은 죽 먹기예요.

- **It's a real toughie.**
  정말 난감한 상황이네요.

- **It's a stone's throw from the apartment.**
  그건 아파트에서 엎어지면 코 닿을 거리예요.

- **It's a touch-and-go situation.**
  아주 위험한 상태라고 하네요.

  ● touch-and-go
  불확실한, 아슬아슬한

- **It's because her mother waits on her hand and foot.**
  그건 그녀의 어머니가 그녀를 위해 모든 걸 해주기 때문이에요.

- **It's going to be really special. No two ways about it.**
  정말 특별하겠네요. 두 말할 필요 없죠.

- **It's better than nothing.**
  아무것도 없는 것보다는 낫죠.

It's bumper-to-bumper on Thomson Bridge.

톰슨 대교가 꽉 막혀 있어요.

● bumper-to-bumper 정체된

It's definitely food for thought.

그건 확실히 생각해볼 문제예요.

It's great exercise and is helping me shed my unwanted flab.

그것은 좋은 운동이고 군살을 없애는 데 도움이 돼요.

It's highly unlikely they're for the idea.

그들이 그 생각에 찬성할 가능성은 거의 없을 것 같네요.

It's just a pie in the sky.

그건 그림의 떡이에요.

It's just mind over matter.

그건 정신력에 달린 문제예요.

It's like they're joined at the hip.

그들은 꼭 붙어 다녀요.(뗄 수 없는 관계 같아요.)

It's not a toss up.

반반이 아니에요.

매일 쓰는 유용한 문장

- _____.
  그건 식은 죽 먹기에요.

- _____.
  정말 난감한 상황이네요.

- _____ the apartment.
  그건 아파트에서 엎어지면 코 닿을 거리예요.

- It's _____.
  아주 위험한 상태라고 하네요.

- It's because her mother _____.
  그건 그녀의 어머니가 그녀를 위해 모든 걸 해주기 때문이에요.

- It's going to be really special.

  _____.
  정말 특별하겠네요. 두 말할 필요 없죠.

- _____.
  아무것도 없는 것보다는 낫죠.

- _____ on Thomson Bridge.

  톰슨 대교가 꽉 막혀 있어요.

- It's definitely _____.

  그건 확실히 생각해볼 문제예요.

- It's great exercise and is _____.

  그것은 좋은 운동이고 군살을 없애는 데 도움이 돼요.

- It's highly _____.

  그들이 그 생각에 찬성할 가능성은 거의 없을 것 같네요.

- _____.

  그건 그림의 떡이에요.

- _____.

  그건 정신력에 달린 문제예요.

- It's like _____.

  그들은 꼭 붙어 다녀요.(뗄 수 없는 관계 같아요.)

- _____.

  반반이 아니에요.

○ **It's sort of like the seven-year itch.**
일종의 권태기 같은 거예요.

○ **It's supposed to be like that.**
원래 그런 거예요.

○ **It's the only way to get the scuttlebutt around here.**
여기서 소문을 들을 수 있는 방법은 그것 밖에 없어요.

○ **It's now or never.**
지금이 유일한 기회일 거예요.

○ **It's on the tip of my tongue.**
혀 끝에서 뱅뱅 도네.

○ **It's the thought that counts.**
중요한 건 마음이죠.

○ **It's the thought that counts.**
생각이라도 고맙지.

○ **It's under repair.**
그것은 수리 중이에요.

○ **It's up to all of us to be down with saving the Earth.**
지구를 구할 건지는 우리 모두에게 달렸어요.

● piggy-back
업기, 목말 타기

○ **Jack carried her piggy-back.**
잭이 그녀를 업어서 데려다 줬어요.

○ **Jack is very different from Harry.**
잭은 해리와 매우 달라요.

○ **Jeonju is famous for Bibimbab.**
전주는 비빔밥으로 유명해요.

○ **John has a real knack for numbers.**
존은 진짜 숫자에 타고난 재능이 있어요.

○ **John has something to do with the fight.**
존이 그 싸움과 관계가 있어요.

○ **Just a moment.**
잠시만요.

○ It's sort of like _____.
일종의 권태기 같은 거예요.

○ It's _____.
원래 그런 거예요.

○ It's the _____ around here.
여기서 소문을 들을 수 있는 방법은 그것 밖에 없어요.

○ _____.
지금이 유일한 기회일 거예요.

○ _____.
혀 끝에서 뱅뱅 도네.

○ _____.
중요한 건 마음이죠.

○ _____.
생각이라도 고맙지.

○ _____.
그것은 수리 중이에요.

○ _____ to be down with
saving the Earth.
지구를 구할 건지는 우리 모두에게 달렸어요.

○ Jack _____.
잭이 그녀를 업어서 데려다 줬어요.

○ Jack is very _____.
잭은 해리와 매우 달라요.

○ Jeonju _____ Bibimbab.
전주는 비빔밥으로 유명해요.

○ John has a _____.
존은 진짜 숫자에 타고난 재능이 있어요.

○ John _____.
존이 그 싸움과 관계가 있어요.

○ _____.
잠시만요.

526
>>
540

- **Just about.**
  거의요.

- **This is just between you and me.**
  이건 우리 사이에 비밀인데요.

- **Just for the hell of it.**
  그냥 장난으로 (그랬어요).

- **Just go with the flow.**
  그냥 자연스러운 흐름에 맡기세요.

- **Just kidding.**
  그냥 농담이에요.

- **Just my luck. Why today?**
  저는 정말 운도 없네요. 왜 하필 오늘 이럴까요?

- **Just the man I wanted to see!**
  제가 찾던 바로 그 분이에요!

○ **Keep an eye on this, will you?**

이것 좀 지켜봐주시겠어요?

○ **Keep going.**

계속 가세요.

○ **Keep in touch.**

연락합시다.

○ **Keep it confidential.**

비밀로 해주세요.

● confidential
비밀의, 기밀의

○ **Keep it to yourself.**

당신만 알고 계세요.

○ **Keep looking.**

계속해서 찾아봐요.

○ **He is keeping his head above water.**

그는 근근이 살아가고 있어요.

○ **Keep out of my way.**

제 길을 막지 마세요.

매일 쓰는 유용한 문장 ─

○ _____ .
거의요.

○ This is just _____ .
이건 우리 사이에 비밀인데요.

○ _____ .
그냥 장난으로 (그랬어요).

○ _____ .
그냥 자연스러운 흐름에 맡기세요.

○ _____ .
그냥 농담이에요.

○ _____ . Why today?
저는 정말 운도 없네요. 왜 하필 오늘 이럴까요?

○ _____ I wanted to see!
제가 찾던 바로 그 분이에요!

- _____ this, will you?

  이것 좀 지켜봐주시겠어요?

- _____.

  계속 가세요.

- _____.

  연락합시다.

- _____.

  비밀로 해주세요.

- _____.

  당신만 알고 계세요.

- _____.

  계속해서 찾아봐요.

- _____

  그는 근근이 살아가고 있어요.

- _____.

  제 길을 막지 마세요.

○ **Keep the change.**

잔돈은 가지세요.

○ **Keep your chin up!**

기운내요. (파이팅!)

○ **Kids lose track of time when they play games.**

아이들은 게임을 할 때 시간 가는 줄 몰라요.

○ **kill two birds with one stone**

일석이조.

○ **Knock it off.**

그만 좀 해요.

○ **Let's eat out.**

외식합시다.

○ **Large or small?**

큰 거요 아님 작은 거요?

- **They will see it as a great way to kick their skills into shape.**

  그들은 실력을 키울 수 있는 좋은 기회라고 여길 거예요.

- **He started the ball rolling to develop the computer program.**

  그는 컴퓨터 프로그램을 개발시키는 일을 잘 시작하였다.

- **Laura started the ball rolling; then the rest joined her.**

  로라가 일을 시작했어요, 그리고 나서 나머지 사람들이 합류했어요.

- **Lay off the junk food and eat more fruits and veggies.**

  패스트푸드를 멀리하고 과일이랑 야채를 더 먹어요.

- **Let's call it a day.**

  오늘은 여기까지 해요.

- **Let's get down to business.**

  본론으로 들어가시죠.

- **Let's get together sometime.**

  언제 한번 만나요.

- **Let's give him a big hand.**

  그에게 큰 박수를 보내죠.

- _____.
  잔돈은 가지세요.

- _____!
  기운내요. (파이팅!)

- _____ when they play games.
  아이들은 게임을 할 때 시간 가는 줄 몰라요.

- _____.
  일석이조.

- _____.
  그만 좀 해요.

- _____.
  외식합시다.

- _____?
  큰 거요 아님 작은 거요?

- They will see it as a great way
  _____.
  그들은 실력을 키울 수 있는 좋은 기회라고 여길 거예요.

○ _____ to develop

the computer program.

그는 컴퓨터 프로그램을 개발시키는 일을 잘 시작하였다.

○ Laura started the ball rolling;

_____.

로라가 일을 시작했어요. 그리고 나서 나머지 사람들이 합류했어요.

○ _____ and eat more fruits

and veggies.

패스트푸드를 멀리하고 과일이랑 야채를 더 먹어요.

○ _____.

오늘은 여기까지 해요.

○ _____.

본론으로 들어가시죠.

○ _____.

언제 한번 만나요.

○ _____.

그에게 큰 박수를 보내죠.